KB096545

우리의 하루는 시로 빛난다

〈차 례〉

*캘리그라피가 있는 시

시집을 엮으며

몇 마디 언어로 눈물을 쏟게 하고 또, 춤추게 하는 시인을 동경했습니다. 공감하고 다독여 주고 때론 희망을 품게 하는 글귀를 캘리그라피로 적는 게 저의 일상인데요, 직접 시를 짓고 글씨를 쓰게 되다니 꿈만 같습니다.

시를 쓰며 잊고 있었던 기억들을 추억으로 꺼내 보듬고, 작은 것도 시처럼 바라보게 되고 머릿속에 시가 맴돌았습니다. 늘 부족하다고 여겨 내 글 한쪽 남에게 보이기 민망했지만 조금 용기를 내어보는 것도 꽤 괜찮은 거 같습니다. 삶의 순간들을 시처럼 잔잔한 것들로 채워가며 좀 더 행복해지는 법을 알게 되어 감사한 시간들이었습니다.

- 박 은 영 -

첫 번째 공저 시집 《시를 써야겠다》 두번째 공저 시집 《시가 꽃이 되다》를 출간하였습니다.

시가 꽃이 되어 피는 순간을 캘리그라피 전시회를 통해 느꼈고, 시를 통해 제 마음의 힐링도 되었습니다.

시 쓰기를 통해 하루하루를 감사와 행복과 희망으로 가득가득한 하루를 보냈습니다.

많이 부족한 시입니다. 그럼에도 불구하고 계속 시를 쓰는 이유를 생각해 보았습니다.

많은 이들에게 시 쓰기를 통해 희망과 용기와 힐링을 주고 싶다는 작은 소망을 바래 봅니다.

- 김 미 정 -

다섯 번째 공저 시집 〈〈우리의 하루는 시로 빛난다〉〉를 진행했습니다. 박은영 님, 김미정 님과 함께 출간하여 기쁩니다.

아침 06시에 밥 대신 시를 지었습니다. 해가 뜨기도 전에 시를 짓고 하루를 맞이하니 하루가 시로 빛났습니다. 아침에 무슨 일을 하느냐에 따라 하루의 마음가짐이 달라짐을 느낍니다.

시에 캘리그라피를 더하니 시가 꽃이 되었습니다. 처음 배운 캘리그라피가 아직 부족하지만 용기를 내었습니다. 캘리그라피를 할 때는 시를 쓸 때와 마찬가지로 집중할 수 있었고 색깔로 힐링하는 기분이었습니다. 글씨체와 그림이 시를 한층 돋보이게 합니다.

삶은 내가 어떻게 가꾸느냐에 따라 달라집니다. 하루의 작은 시간이 모여 공동시집을 만들 듯이 소소하게 작은 시간의 조각을 찾기 바랍니다.

- 김 민 들 레 -

박 은 영

콩이네글씨가게(캘리그라피 공방) 대표
캘리그라피 작가

글씨와 그림으로 삶을 가꾸며
따뜻한 사람들과 소통합니다.

01. 계절이 지나는 길

긴 여름 지나는 길에
비를 뿌린다.

길바닥에 먼지마저 싹싹 지우고
계절은 간신히 문턱을 넘는다.

몸서리치게 더운 여름이었노라고
가을은 더 짧고 겨울은 얼마나 추울 거며
또 내년은 얼마나 더울까?

나무는 부르르 몸을 떨며
빗방울을 투둑투둑 털어낸다.

02. 안 봐도 보이는 그림

신호가 간다.
어디 가셨나?
어디 아프신가?

전화를 끊으려고 할 때
들려온 아빠의 목소리
깜빡 졸았다고
엄마는 잔다고

이른 아침엔 해가 뜨겁지 않아서
한낮엔 견딜 만해서
저녁엔 선선해서
그러니 할 만해서
논으로 밭으로 종일
바쁘게 다녔을 부모님

좋아하는 드라마 켜놓고
두 분이 앉아 꼬박꼬박 졸다가
허리 불편한 엄마가
방바닥을 밀며 겨우 일어나
고단한 몸을 먼저 뉘었을 거다.

안 봐도 보이는 그림

03. 친구에게

친구야, 이른 아침 산책길에 어느새
낙엽들이 소복이 쌓여있는 걸 보고
깜짝 놀랐단다.

계절은 여름의 끝자락을 놓지 못하는데
어느새 풀잎에는 차가운 이슬도 맺혀있고
팔에 닿는 바람도 서늘해졌구나.

달콤한 빛으로 오는 가을은
오래오래 누리고 싶구나.
잠깐 왔다가 급히 떠나지 말고
천천히 왔다가 오래 머물렀으면 좋겠구나.

친구야, 은행나무 등불 가지마다
노오랗게 매달아 놓을 테니
머지않아 그 길 따라 내게로 와주렴.

오래오래 이야기꽃 피워보자.

04. 집

야트막한 산 아래 붉은 벽돌집이 있다. 집 양옆으로 낮은 울타리를 따라 편백나무가 줄지어 있고 집의 정면에는 키 작은 꽃과 나무들이 있어 시야를 가리지 않는다. 집보다 넓은 마당이 있고 집 앞에는 너른 들판이 있다. 멀리 아빠의 논이 보이고 그 앞에는 개울물이 흐른다. 여기는 친정집 근처에 있는 나의 집이다. 누가 이런 낡은 집을 돈을 주고 사느냐며 모두가 만류했지만 지금은 누구나 한 번쯤 살아보고 싶은 집이 되었다. 엄마 아빠도 자주 오셔서 식사를 하고 뒷산으로 나있는 오솔길을 따라 함께 산책을 가곤 한다. 거실은 앞뒤가 통창이어서 굳이 문을 열지 않아도 뒷산 나무들이 고스란히 들어앉아 있고 앞쪽 창으로는 들판이 그림처럼 펼쳐있다. 저 멀리서 오는 소나기구름에 곡식들이 수런거리고 소나기 지나간 자리에 피어나는 안개구름이 남산에 걸쳐 지나가는 것도 보인다. 나의 작품들이 정갈하게 걸려있는 방은 서재로도 쓰고 작업실에는 온갖 그림 도구들이 깔끔하게 정리되어 있다. 작은 방 하나와 가끔 찾아오는 아들을 위한 방이 있고 주방엔 딱 필요한 가전과 그릇들만 있다. 저녁을 일찍 먹고 남편과 커피 한 잔씩 손에 들고 마당 한편에 있는 커다란 느티나무 아래 벤치에 앉아 콩이 노는 걸 지켜본다. 콩이가 마당을 이리저리 뛰어다니다가 내 옆으로 와서 자기도 의자에 앉혀달라고 두 발로 서서는 내 팔을 긁어댄다. 노을 바람 속에 가을이 묻어있다. 집 옆쪽 야트막한 언덕에 있는 교회에서 종소리가 울린다.

어릴 때 교회도 안 다니면서 거기 있는 빨간 지붕의 교회가 참 보기 좋고 든든했었다. 오랜만에 친정집 가는 길인데 그 교회 근처, 저기가 우리 집이었으면 좋겠다 하며 눈길 주는 낡은 집 앞에 번듯한 집이 자리 잡았다. 나의 상상 속의 집도 다른 곳으로 이사를 가야겠다.

05. 가을 즈음에

아로니아 까만 열매가 나무에
두어 개 매달려있습니다.
저 남은 거 누가 누가 먹을까요?
산책 중인 콩이가 나무 밑동에
찜(영역표시)하고 갑니다.

키 작은 회양목은 봄에
진달래 개나리보다 깨알 같은 꽃을
먼저 쏟아내더니 벌써 가을 잔치가 한창입니다.
옹기종기 모여 앉아 지난여름 얘기하며
깔깔 웃습니다.
뿔 달린 깍지가 딱 벌어지면
까만 씨앗이 콩콩 박혀있는데
영락없는 부엉이 얼굴이지요.

좀작살나무를 아시나요?

한 가지 툭 꺾어 목에 걸면
명품 목걸이 부럽지 않을 거 같습니다.
보석 같은 열매들이 연둣빛에서
보랏빛까지 단계별로 다닥다닥 붙어있는데
보면 볼수록 신기합니다.

마가목 열매가 초록빛에서 주황빛으로
변하는가 싶었는데
어제보다 오늘 더 붉어졌습니다.
붉은빛이 더 짙어지면 새들이
먼저 알고 와서 기웃기웃합니다.
어느 날에는 열매 반 새 반
얼마나 장관인지 모릅니다.
그날이 언제가 될까 올려다보며
가늠해 봅니다.
내일은 오늘보다 가을이 더 짙어지겠지요.
설레는 아침 산책길입니다.

06. 기억 1

창호지를 뚫고 들어온 햇살이
방안에 가득합니다.
엄마가 방문 손잡이 언저리,
창호지 사이에 붙여놓은 꽃잎이
살아있는 듯 잎맥까지 선명합니다.
타닥타닥 아빠가 가마솥에 쇠죽 끓이는 소리
톡톡톡톡 엄마가 아침밥 짓는 도마 소리

우리 딸, 일어났구나!
눈곱이 한 짐이네.
아이구, 눈곱에 발등 찧겠네.
얼굴에 닿는 엄마의 따뜻한 손

07. 섬

섬처럼 살다가
섬이 되어 떠나셨군요.

미안하다
한 마디면 될 것을

남은 사람도
돌이킬 수 없는 섬이 됩니다.

섬
섬처럼 살다가
섬이 되어 떠나셨군요
미안하다
한마디면 될 것을
남은 사람도 돌이킬 수 없는
섬이 됩니다
E.U.N.B.I.T

08. 고통

내 몸의 일부를 잘라내는 고통이
얼마나 클지 상상이 안 됩니다.
매일 하늘이 무너지겠지요.
서걱거리며 몸을 뒤척였을 때
너무 가벼워진 몸에 놀라서
가슴이 찢어지겠지요.
모든 순간들이 아픔이겠지요.
위로의 말조차 할 수가 없습니다.
그저 살아계셔 주셔서
감사하고 감사합니다.
사랑하고 사랑합니다.

09. 마음 열기

마주 보는 창문을 열면
바람길도 열려
바람이 잘 지나간다.

마음을 열어
답답한 마음
미운 마음
바람길에 실어 보내면
싱그런 마음이
새순처럼 돋아난다.

10. 인연

작은 내가 더 높은 곳을 향해
나아갈 수 있는 건 당신 덕분입니다.

조용한 내가 나 여기 있노라 외치며
당당해질 수 있는 건 당신 덕분입니다.

혼자가 더 편했던 내가 우리여서
더 빛날 수 있는 것도 당신 덕분입니다.

당신이 있어서, 당신 덕분에
내 영혼이 따뜻해지고
내 뿌리가 단단해집니다.

당신이 있어서 당신 덕분에
내 영혼이 따뜻해지고
내 뿌리가 단단해집니다 -

인연 中

11. 시인

동이 터오는 새벽
소리 내어 시를 읽습니다.

내 얘기여서 반갑고
내 얘기여서 슬프고
내 얘기여서 울컥합니다.

소리 내어 읽다가 더 이상
읽지 못하는 시를 눈으로 봅니다.

몇 마디 언어로
눈물을 쏟게 하는 게
그러면서 다시 춤추게 만드는 게
'시인'이군요!

진정 존경합니다.

12. 바다

대여섯 살쯤 되었을까요.
엄마랑 난생처음 시외버스를 타고
청주를 가게 되었어요.
무슨 일로 갔는지는 모르겠는데
지금도 생생하게 기억나는 풍경이 있어요.

버스가 고갯마루를 넘어 내려가는데
눈앞에 펼쳐진 넓은 바다!

충청북도에 바다가 있겠냐고요.
그런데 그건 분명 바다였어요.
당시에 우리 집엔 텔레비전이 없어서
충청북도엔 바다가 없어서
말로만 듣던 바다를 상상하곤 했지요.

자동차가 고향길을 내달립니다.

"저기 바다가 있다!"
식구들이 웃으며 가리키는 그 바다는
아주 작은 저수지이지만
세상에서 가장 넓은 바다입니다.

괴산에서 증평으로 갈 때
고갯마루 넘어가면서 오른쪽에 있는 바다
푸른 물결 넘실거리는 바다

행여 일부러 찾아가지는 마십시오.
나의 바다입니다.

13. 석류

어느 날 내 마음
왈칵 쏟아질지 몰라요.
양은 꽃 쟁반에 받아주세요.

14. 보름달

힘든 사람 다독여주고
애쓰는 사람 쓸어주고
시작하는 사람 힘껏 안아주고
서로가 서로에게 힘이 되어
다시 걸을 수 있도록
다시 꿈꿀 수 있도록
그래서 보름달이 뜨는 거야.

오래오래 바라보고
오래오래 사랑하며
오래오래 행복하라고
그래서 보름달이 밝은 거야.

15. 그거면 된다

가끔 너로 인해
짜증 나고 힘들어도 너는
내 손에 네 따뜻한 손을 살짝
올려놓기만 하면 된다.
그거면 된다.

나는 안다.
네 부드러운 손이 살며시
내 손에 올려질 때
내가 너의 전부이기에
애처롭다.

16. 낙엽

따가운 햇살을 가득 손에 쥐고는
어쩔 줄 몰라서 발등에 가득 떨어뜨렸구나.

17. 사랑의 이유

당신과 헤어진 자리에 당신이 혹시
다시 돌아올까 봐 그대로 한참을 기다립니다.
당신의 향기가 아련해질 때까지
내 온 신경들은 당신을 향해있습니다.

나는 평생을 기다림에 삽니다.
그래도 당신이 잠시 나를 따뜻하게 안아준다면
모든 순간들이 사랑의 이유가 됩니다.

당신을 구속하려는 건 아닌데
당신이 나로 인해 괴로울 때
내가 하는 사랑이 원망스러워
가슴을 치기도 합니다. 하지만
당신 없는 삶은 내게 의미가 없는걸요.

내가 지금 이 순간 당신을 위해 할 수 있는 건

지친 몸으로 돌아온 당신의 발걸음이
따뜻하도록 이 자리를 데우고
당신만을 생각하는 것.

당신은 나의 전부입니다.

18. 기억 2

탁탁 털어 줄에 널어놓은 빨래가
너울너울 바람에 춤춘다.
보송보송 달콤한 바람이
파란 하늘에 맑은 구름을 밀며 지나고
바지랑대 끝에 잠자리가
요리조리 균형을 잘도 잡는다.
꽁지가 새빨갛다.

19. 기억 3

빗자루가 쓸고 간 자국이 선명한 흙마당
마당가에 사루비아꽃이 꼬박꼬박 졸고 있는 한낮
엄마가 처마 밑에 멍석을 깔고
탁탁탁 참깨를 턴다.

20. 결혼기념일에

당신과 함께 한 시간들이
20년을 훌쩍 지났습니다.
애잔한 사랑이 희끗희끗한
당신 머리카락에 머물고
고맙고 고마운 마음이 가득합니다.

아들은 스스로 행복할 줄 아는 나이가 되었고
우리는 우리끼리 행복하면 됩니다.
나 없는 세상은 당신도 없다고 했지요
당신 없는 행복은 없습니다.

21. 글을 쓰면서

너, 거기 있었구나!
참 예쁘구나!
작은 것에도 말을 건다.
잊을 뻔한 마음도 매만지고
잊고 싶은 마음도 다독인다.

단풍나무 이파리가 봉숭아 물들인
손톱처럼 이파리 끝에서부터
조금씩 붉어지는 것도 경이롭고
돌 틈 사이에 낀 잡초도 안쓰러워
물 한 모금 뿌려준다.

내가 좀 더 괜찮은 사람이 되어가는 거 같다.

너, 거기 있었구나-!
참 예쁜구나-! 작은 것에도 말을 건다-.
잊을 뻔한 마음도 매만지고 잊고 싶은 마음도 다독인다-
EUNBIT

22. 북촌 한옥마을에서

높고 푸른 하늘
고운 한복 입은 여행자들
한가롭게 걷는 사람들
돌담 사이에 피어있는 잡초
대문과 한 몸이 된 커다란 나무
좁은 골목 양쪽에 소박한 화분들
꽃도 키우고, 무, 배추도 키우고
넉넉하게 배부르다.
담장 너머 익어가는 남의 집 감이
내 것인 듯 흐뭇하다.
한옥 처마 밑을 돌아온 바람은
구수하고 정답다.
작은 대문 앞, 좁은 계단
거기 양쪽에 커다란 화분들
꽃을 피해 조심히 오고 갈
그 집 대문 앞에

다음에 다시 와야지 하며
나를 두고 온다.

23. 작은 기쁨

쫄랑쫄랑 따라가던 강아지는
제가 앞서가야 한다며 줄을 당기고
산책 나온 물오리를 기어코
날려 보내고야 만다.
그 당당함은 어디로 갔는지
돌다리 하나 건너지 못해
엉덩이를 뒤로 쭉 빼고
꼬리를 다리 사이로 구겨 넣는다.
반짝이는 물 위로 우리 웃음소리 내려앉고
당신의 미소가 물가에 핀 코스모스처럼
자연스럽다.
작은 것에서 얻는 기쁨으로 채워갈 때
삶은 더 살갑다.

24. 엄마 생각

엄마가 보내주신 감귤 사진
노란 귤이 정성껏 가꾼 화분에서
주렁주렁 열렸습니다.
흐뭇하게 바라볼 엄마의 미소
세상에 신기하고 사랑스런 풍경들이
얼마나 많은지 엄마와 함께 하고 싶은 순간들을
자꾸 세월에 양보하며 살아갑니다.
다 주고도 하나를 더 주지 못해 안타까워하는
그 마음을 이제는 아는데……
어느 날은 그리워도 볼 수 없으면 어쩌나
조바심이 나기도 합니다.

엄마의 탐스런 귤
먹지 않아도 얼마나 새콤달콤한지 압니다.

25. 민들레 홀씨

더 멀리 날아가거라
네가 얼마나 사랑받으며 자랐는지
잊지 말고

더 높이 날아올라라
오르는 길 두렵더라도
네가 받은 사랑을 딛고
힘차게 날아올라라
너의 큰 꿈이 더 잘 보이도록

네가 받은 사랑
가슴에 가득 품고
하나씩 나누어주며 살아가거라

김 미 정

25년차 직장인이며 캘리그라피 작가입니다.
책을 읽고 글을 쓰고, 그림을 그리는 삶을
살고 싶은 평범한 사람입니다.

평범한 직장인도 시를 쓸 수 있다는 용기를
많은 분께 주고 싶습니다.

01. 삶과 사

삶과 죽음이 구분되어 있지 않다
삶의 삶에 그 속에 죽음이 있다
내 마음속에도 있다
어떤 삶을 살아야 할까?
어떻게 잘 살다 가야 할까?

오늘 새벽! 문득!
삶과 죽음이 따로 있지 않음에
시간을 허투루 쓰지 않아야겠다는 생각과
죽음을 생각하면 앞으로는 하고 싶은 일을
해야겠다는 생각이 이 새벽에
삶과 사를 생각하며
미래를 설계한다

02. 길

길을 아는 것과
그 길을 걷는 것은 분명히 다르다

지금까지 너는 잘 걷고 있다
이 길이 아니면 다시 돌아가도 길은
보인다

잠시 돌아갈 뿐
길 끝에는 길이 있다
무수히 많은 너의 길을 응원한다

03. 가을비 1

선선한 바람이 내게 왔다
주룩주룩 가을비가 내게 왔다

한 여름의 뜨거운 햇살이 어제였는데
오늘은 가을이 성큼성큼 내게 왔다

가을비로 가을을 준비해야겠다
가을비로 단풍을 맞이해야겠다

어여쁜 가을비가 가을을
들고 오네

04. 감사의 말

새벽 아침 일어 날 수 있음에
감사함에 인사를 합니다

새벽 공기를 맡으며
이 새벽을 사랑함에
또다시 감사의 말을 합니다

책상에 앉아 또 하나의
감사의 말을 합니다
오른손으로 글을 쓸 수 있음에...

오늘도 온통 감사의 말로
새벽을 시작합니다

오늘도 이렇게 건강하게 살아 있음에...
감사합니다

온통 감사의
말로 새벽을
시작합니다
김미정 시 · 감사의 말 中
@Jaycalligraphy

05. 그림과 시

나의 삶에서 이제는
그림과 시를 뗄 수가 없다
딱딱했던 나의 마음에
그림과 시가 들어왔다

그림 같은 들판을 볼 때는
그림을 그리고 싶고
파아란 하늘을 볼 때는
시를 쓰고 싶다

행복이 그림을 만나고
사랑이 시를 만나고
그림과 시는
나의 삶의 원동력이다

06. 아침 풍경

새벽녘 엄마의 쌀 씻는 소리
뽀글뽀글 된장국 끓는 소리
나의 낭독 소리
시골집의 닭 우는소리
아침 풍경이 나를 깨운다

copyright calligraphy
닭도 깨어있느니/
새벽소리에
나돈 깨어있느니..

07. 나의 사랑의 향기와 맛

내 사랑의 향기는 진한 커피향
진한 커피향에 취하면 헤어 나오기 어렵다

내 사랑의 맛은 아이스크림 맛
달달한 맛과 부드러운 맛에 취하면
내 마음도 아이스크림이 된다

나의 사랑의 향기로
나의 사랑의 맛으로
진하고 쓰디쓴 삶에
한 잔의 커피 같은 사랑을
거기에 달달한 아이스크림 한 조각을...

08. 보석 두 개

결혼 전 보석 가게를 왔다 갔다 했다
웨딩 전 반짝 반짝이는 목걸이, 반지, 팔찌를
보러 왔다 갔다 했다
돈이 없던 시절
보석은 나의 사치였다
보석 대신 매년 해외여행을 보내주겠다는
남편의 약속을 믿었다
매년 해외여행은 해외 출장이 되었다
매년 보석이 무엇인가?
보석은 생각이 나지도 않았고 보석은 없었다

두 아이가 태어났다.
남편의 말이 걸작이다
"우리에게 보석이 2개 왔다"
"그 어떤 보석이 이토록 반짝일 수 있겠는가?"

매일매일 보석을 바라 본다.
해외여행보다 좋을 수가 없다

반짝이는 두 보석을 어떻게 잘 키울지
내 삶에서 제일 큰 고민이다
내 삶의 보석은 우리 애들이다

09. 나의 벗에게

언제나 내가 힘들 때면
슈퍼맨처럼 나타나
내 눈물도 가져가고
내 웃음도 돌려주며
내 마음에 용기도 심어주고
내 마음에 사랑도 심어주고
너는 나의 벗이다

나는 너에게 어떤 선물을 주어야 할까?
사랑도
내 마음의 눈물도
나는 그냥 니 옆에 있을란다
그냥 공기처럼

10. 가을비 2

어제도 비
그제도 비
오늘도 비
가을비가 요란하게 가을을 모시고 온다

나 여기에 왔다고
나를 좀 봐 달라고
나의 소리를 들어 봐 달라고
그래서 이렇게 큰소리로 오나 보다

오늘은 문을 열고
빗소리를!
가을향기를!
가을비를!
가을을!
온몸으로 맞이한다

가을향기를
가을비를
가을을
온몸으로
시. 가을비中
calligraphy

11. 시간

'시간이 화살 같다'.고 이야기하는 사람들의 말을
이제는 이해를 넘어 공감한다

너무도 빠른 시간을
순식간에 지나는 시간을 견디다 못해
이제는 시간에게 무뎌지고 싶다

시간이 흐를수록 시간의 무게에
나를 끼워 넣는다
자꾸자꾸 열심히
계속 계속 잘하게
나를 채찍질한다
너무 빠른 시간 때문에

12. 어떤 결심

이렇게 피곤하게 살지 않기로 했다
이렇게 열심히 살지 않기로 했다
이렇게 잠이 모자라는 삶을 살지 않기로 했다

적당히 적당히 살기로 했다
아프고 난 후, 나는 열심히 살지 않기로
결심했다

하지만
피곤하게 살지 않기로 한 내 삶은
피곤하고, 열심히 살고
잠을 못 자는 삶이 계속 이어진다

나의 어떤 결심이 무너진 날에!

13. 시장풍경

사과가 3개에 만원
버섯 한 소쿠리에 팔천 원
나물도 종류별로 한 소쿠리에 오천 원
고사리 한 소쿠리에 만원
여기저기 쓰여 있는 글자와 숫자
삶의 현장 같다

시장 한가운데 많은 물건과 음식들
또 하나 또 하나 계속해서 묻는다
얼마냐고?
아! 여긴 글자와 숫자가 없네
시끌시끌 시장통
살아 숨 쉬는 언어로 묻는다

눈으로 전 세계 과일을 구경한다
코로 이 모든 음식을 맛보았다
오늘을 살아가게 하는 힘이 여기에 있네

중간중간 맛보라고 내어주는 마음에
이 음식 저 과일들도 이미 배가 부르다

삶이 별거인 게 없구나
시장에서 살아가는 힘을 얻고
시장 풍경에 해외여행을 하고
시장의 맛에
오늘은 세상을 다 가진 것 같다

14. 달님에게 소원

나를 비춰 주시나요?
나무에도 비춰주시고
아파트 화단에도 비춰 주시고
밤하늘 위 아주 둥근 달님!

오늘 밤에는 모든 이들에게 소원도 들어주시고
오늘 밤에는 모두 모두 비춰 주시고
그냥
그냥
이 밤에
제 소원도, 다른 이의 소원도 들어주세요

15. 바램

하루하루 계획한 일들과 생각을
이루는 것이 오늘 나의 바램입니다
이 새벽 이 마음속 기도를 합니다

오늘도 감사히
오늘도 행복하게
오늘도 건강하게
오늘도 기쁘게
이 새벽 모든 이들의 삶이라는
항해에 제 바램들을 기도합니다

오늘도
감사히
오늘도 기쁘게
시 · 김미정
바라봄中
copyright calligraphy

16. 가을속으로

밭으로 가는 골목길 모퉁이에는 벌써부터
단풍나무가 물들어 있습니다
초록이 주황으로
연두가 노랑으로
길가 모퉁이의 나무가 색동옷을 입었네요

텃밭엔 가을소리가 들립니다
엄마의 깨잎 터는 소리가
감나무의 감 따는 소리가
밤나무의 밤 까는 소리가
텃밭에는 온통 가을소리들로
가득합니다

가을속에
내가 들어온 것 같네요
나도 색동옷 입고 싶네요
가을을 만끽하고 싶네요
이 가을속에서

17. 그리움

국화꽃이 이쁘게 피운 날
그가 생각났다
꽃이 그렇게 이뻤다
아마 네가 있어 그렇게 이뻤을 것이다

단풍잎이 곱게 물든 날
그가 생각났다
단풍이 그렇게 고왔다
아마도 그건 네가 있기 때문이다

첫눈이 내리던 날
그가 생각났다
눈이 눈이 아니었다
눈이 눈부셨다
아마도 그건 너이기 때문이다

18. 추억

차가워지는 날이 오면
몸이 시리도록 춥다
목에 목도리 칭칭 감고
손에는 장갑을 끼고
너를 만났던 날
너는 거기서 돌아섰다
추위가 더 이상 춥지 않았다
목에 목도리를 풀고
손에는 장갑을 뺐다
너와 헤어졌던 날
그곳엔 눈이 내리고 있었다

19. 매일, 사랑 한 스푼

힘든 시간에 필요한 것
슬픈 시간에 필요한 것
내 마음을 녹여 주는 것은
매일, 사랑 한 스푼

용기가 필요한 시간
끈기가 요구되는 시간
매일, 사랑 한 스푼으로

당신의 오늘이
나의 오늘이
사랑 한 스푼으로 가득한 날이 될 거예요

20. 시를 쓰기 위해

시를 쓰기 위해
낙엽도 신발에 뿌려보고
머리에도 뿌려보고
나무 밑에 앉아 사색도 해 보고
진한 커피도 마시고
아!!
안되겠다
그냥 가을속으로 들어가야겠다

21. 여름 일기

초록이 가득가득 들판을 덮고
태양은 활활 내리쬐고
매미는 하루 종일 울어대고
어린 시절의 나는 평상에 누워 있고
엄마는 수박을 자르고
선풍기는 말없이 돌아가고
그 여름날이 그리운 날에

초록이
가득가득
들판을 덮고
매미는 하루종일
울어대고
선풍기는 말없이
돌아가고
그리운 날
그 여름날

22. 아름답게 나이 들길

10월의 마지막 날!
시간도 이렇게 흘러가고
단풍도 더 더 붉어지고
은행도 더 노랗게 물들어지고
수많은 모든 것들이 아름다워지는
이 계절에
나도 아름답게 이 시간을
아름답게 나이 들길 기도한다

23 꿈

무엇이든 하고 싶다
내가 좋아하는 것은 뭘까?
내가 하고 싶은 것은 뭘까?
내가 잘하는 것은 뭘까?
이 나이가 들도록 이런 고민을 한다

잘하는 것과 하고 싶은 것 사이에서
돈 되는 일을 하는 것이라고
늘 생각했는데...
그것도 나쁘지 않은 꿈이었다

잘하는 것 하나
하고 싶은 것 하나
한 번씩 해 보자
나이 드니 도전에 두려움이 아닌 용기가 생긴다
고맙다
이런 내 마음의 꿈들이...

24. 삶

이해인 수녀님의 신간 시에서 “좋은 말들을
끌어안으며 살고 싶다”라는 문구가 나온다
오늘 유난히 나도 내 삶에
좋은 말들과 좋은 행동을 하며 살고 싶다

사랑하는 사람들에게 많은 사랑을
용기가 필요한 사람들에게 무한한 용기를
이 모든 희망이 필요한 사람들에게 희망을
그래, 삶이 뭐 별것인가
나도 좋은 말들과 좋은 행동을 하며 살고 싶다

25. 새해

우뚝 솟은 해를 보며 새해 소망을 빕니다
내가 아는 모든 이들이 건강하기를
내가 아는 모든 이들이 행복하기를
내가 아는 모든 이들의 소망도 우뚝 솟기를
해를 보며 간절히 빕니다

김 민 들 레

내면의 지혜와 잠재력은 누구에게나 있습니다.
운동, 독서, 글쓰기로 잠재력을 발현하고 동반성장 하면서 조화로운 삶을 추구합니다.

시인 , 브런치 작가
북클럽 리더, 시간 목표관리 3P 코치
타로 테라피스트, 풀코스 3회 완주 마라토너
초보 캘리그라퍼

《예비 북클럽리더를 위한 7가지 독서법》 전자책
《필사하다가 내 책 쓰게 되는 필사 독서법》 전자책
《나는 오감으로 독서하는 여자》 전자책
《브런치 작가 되기》 전자책
《오늘부터 다시 스무 살입니다》 MKYU 공동 저자
공동시집 6권

01 왜 쓸쓸할까

잔도 쓸쓸하여
술이 담기면 짠- 하고 부딪힌다

하늘도 쓸쓸하여
간혹 구름을 불러들여
빗소리로 허전함을 달랜다

나무도 쓸쓸하여
둥지에 세를 내준다

사람도 쓸쓸하여
직접 만나지 못하면
목소리라도 만난다

왜 쓸쓸할까

02. 쉰 살

나에게도 쉰 살이 오고야 말았다.
큰딸이 스무 살이 넘었다니 믿을 수 없다. 아직도 첫발 떼는 모습이 눈에 선하다. 한 발 떼고는 주저앉았다가 네 발로 기어오곤 했지.

당당한 워킹맘이 되리라는 생각은 현실과 너무도 달랐다. 깡마른 얼굴과 퀭한 눈, 항상 잠이 부족해서 어디에서건 머리를 대면 잠들었다.

새벽에 통잠을 자는 게 소원이었고, 날밤을 새운 날도 어김없이 출근했다. 번갈아 아이들이 잠을 보채거나 아플 때 내색하지 않느라 더 힘들었다.

셋 모두 중학생이 넘었을 때 자유의 시간이 왔지만 용기는 다시 바닥이었지. 책과 운동으로 자신감을 끌어올리며 다시 시작한 쉰 살.

작가를 꿈꾼다.
앞으로 10년 동안 읽고 쓰고 나눈다면 스스로라도
만족하겠지.

03. 수학여행

수학여행을 가지 못한
중2 여학생 50명이 한 교실에 모여
공부하는 척 자습을 한다

친구들은 좋겠다
신나게 버스 타고
경주를 누비고 있겠지

2교시 쉬는 시간 후
한 여학생이 지갑을 잃어버렸단다
얼굴만 아는 다른 반 아이다

임시 쌤은 잃어버린 지갑을 찾으려
어르고 달래고 혼냈지만
범인은 나타나지 않았다

책상 위에 무릎 꿇고 올라가서 손을 들었다
50명 여학생 모두!

수학여행 못 간 것도 서러운데
이런 벌까지 받다니 뛰쳐나가고 싶었다

38년이 지났는데 아직도 화가 난다

도대체 누가 가져간 거야
교실에서 잃어버린 게 맞는 거야

오늘 중2 아들이 수학여행을 떠났다

04. 나의 역사

사랑을 받기만 하다가
주고받을 때는
전혀 필요 없던
배려가 필요해

나를 향한 해바라기가
되길 바라지만
그의 해바라기도 필요해

의견이 다를 때는
어떻게 해야 하는지
배워두지 않으면
멀어지곤 해

사랑은 나의 역사
한 사람으로 인해

삶의 한 자락을 배우고

사람과 사랑이 나의 역사가 되지

05. 문제가 생길 때

모든 문제엔
다 해결 방법이 있단다

정말 그럴까요?

어렵다고 생각하면 어렵고
쉽다고 생각하면 쉽단다

정말 그럴까요?
지금 풀리지 않은 문제도
나중에 풀리기도 한단다

정말 그럴까요?

걱정하는 시간에 완전히 다른 일을 하든가
다른 방법으로 풀기도 한단다

정말 그럴까요?

다른 사람에 도움을 청하든가
스스로 물어보면 풀린단다

정말 그렇더군요
선생님!

06. 말도 못 하고

잘 지내라는 말
"안녕"이라고도 못하고
떠난 사람들
떠나보낸 나

너무도 어리석어
그냥 보냈다
"안녕"도 없이
"잘 지내"도 없이

07. 징검다리

머리에 하나
왼쪽 어깨에 하나
오른쪽 어깨에 하나
세 돌덩이가 삶을 짓누른다

여행도
산책도
쇼핑도
술집도
세 돌덩이가 무거워
바로바로 집에 돌아가야 한다

돌덩이가 제 갈 길을 가니
너희들 덕분에 바르게 살았구나
너희들 덕분에 옆길로 빠지지 않았구나
너희들 덕분에 하나씩 배워나갔구나

너희들 덕분에 성장했구나

세 돌덩이는 짐이 아니라
징검다리 돌이었어

08. 내 영혼이 슬플 때

그녀가
하지 않은 말로
상상하며 괴로워할 때
내 영혼은 흔들립니다

그녀가
생각 않고 뱉은 말로
스스로 괴로워할 때
내 영혼은 흔들립니다

그녀가
직접 듣지 않은 말로
혼자 괴로워할 때
내 영혼은 흔들립니다

그녀가

어린아이처럼
맑게 웃을 때
내 영혼도 같이 웃습니다
내 영혼을 항상 바라봅니다

09 마당이 있는 집

마당이 있는 집이 그리워
아이들이 어릴 때는
시골집을 수시로 드나들었다

벼를 모두 수확한 후
삭막한 흙갈색 논
초록 풀잎 같은 벼
누런 들판에 고개 숙인 쌀알
그리곤 하얗게 눈 쌓인 들판을
보는 게 갑갑한 도시의 보상이었다

3시간 거리의 고속도로는
적당히 멀어 마음을 내지 않고는
가기 힘든 길을 거쳐야
마당과 논밭을 만났고
흙을 밟았다

이젠 나의 손주를 준비하는 마음으로

집을 짓는다

마당은 잔디와, 그네, 모래 놀이터,

그리고 꽃밭을 만든다

손주들 부모를 위해선 푸근한 침구를 마련한다

10. 헤어진 이유

우린 왜 헤어졌을까?
가치관이 달라서
서로 존중하지 않아서
같은 방향을 바라보지 않아서
기다려주지 못해서

우린 왜 헤어졌을까?
사랑이 뭔지 몰라서
어떻게 해야 사랑인지 몰라서
사랑하면 뭘 해야 하는지 몰라서
발걸음을 맞추지 않아서

우린 왜 다시 만났을까?
나를 기다려줘서
나의 꿈을 응원해줘서
함께 헤쳐나갈 수 있을 것 같아서

마음이 편안해서

너무 보고 싶어서

11. 바다

흰 눈이 펑펑 소리도 없이
흩날리는 날
당신과 처음 간 바다

바다는 눈을 홀딱 삼키고
땅은 눈을 고스란히 차곡차곡 쌓아두지

당신은 바다처럼 홀딱 마음을 주고
나는 땅처럼 당신 마음을 쌓아두네

조용하고 까만 바다에 하얀 꿈을 그렸다지만
그대를 눈 녹듯이 잊어버리려 갔다오

흰 눈이 펑펑 소리도 없이
흩날리는 날
혼자 이별했다오

12. 은장도

날카로운 말은
자신의 마음을 찌르는
은장도가 되는 것

거친 행동은
자신의 마음을 베이게 하는
은장도가 되는 것

13. 생각하지 않았던 일

몸이 이렇게 아플 줄 몰랐습니다
마흔 이후는
생각하지 않았습니다

아이 셋을 돌볼 줄 몰랐습니다
하나만 낳겠다는 생각에 셋은
생각하지 않았습니다

작가가 될 줄 몰랐습니다
책만 읽어도 좋겠다는 생각에 작가는
생각하지 않았습니다

시인이 될 줄 몰랐습니다
시 필사만 해도 좋겠다는 생각에 시인은
생각하지 않았습니다

마라토너가 될 줄 몰랐습니다
통증만 없어도 좋겠다는 생각에 마라토너는
생각하지 않았습니다

가던 길을 멈추게 한 셋째가
길잡이가 될 줄은 몰랐습니다
정말 생각하지 않았습니다

14. 글을 뽑아내다

찌이익 문을 연다
쥔장이 깨어났다

오늘의 1번은 누구일까
검정펜?
삼색펜?
만년필?
연필?
붓펜?
형광펜?
지우개?

초록펜 당첨이다
신나게 종이 위에
좋은 글을 뽑아내고 오렴

"어땠어? 어땠어?
무슨 글 썼는데?"

"우리들 이야기"

찌이익 문을 닫는다

"쫑알쫑알"

15. 인연

사람으로 인해 상처를 받은 날
그녀가 다가왔다

실수해도
막막한 일이 생겨도
사랑으로 감싸는 그녀

그 여유는 어디에서 오는 걸까
어떤 사랑을 받았길래
어떤 사랑을 배웠길래
그렇게 나눠주는 걸까

10년이 흐른 뒤
우리의 인연은 어디로 흐를까

생각 말자

귀한 인연은 현실에 충실하다
행복하면 그 역할을 다하는 것

귀한 인연은
현실에 충실하다
행복하면 그 역할을
다하는 것
김민들레. 인연中

16. 순간에서 삶까지

기도는 나에 대한 다짐이요
감사는 삶에 대한 긍정이요
미소는 너에 대한 마음 열기요
즐거움은 저절로 하는 힘이요
사랑은 이해 못 하는 행동이요
순간은 행운과 불운을 선택함이요
삶은 이 모든 게 합쳐진 것으로
오랜 기간일 것 같지만 짧디짧은
시간이라오

17. 첫눈 맞이하기

베란다 청소를 말끔하게
집안을 정갈하게
몸과 마음을 깨끗하게
그리고 기다릴 것

18 삶을 바꿔야 한다면

삶을 바꿔야 한다면
무언가 바꿔야 가능하겠지요

무엇부터 바꿀까요? 우선
집을 바꾸고 싶어요. 창가에서
나무가 흔들리는 모습을 항공샷이 아닌
숄더샷으로 보면서 글을 쓰겠어요
남편은 나뭇잎이 산더미같이 쌓였다고
투덜대면서 쓸어내겠지만
난 고요히 들으면서
미소만 짓겠지요

큰 나무 아래 둘러앉아 책을 읽고
각자의 세상을 풀어놓은 모습은
언제 그려도 멋진 풍경입니다

잔잔한 플룻과 첼로 소리가 들린다면
감사와 행복이 저절로 솟아나겠지요
자연이 스승이 되고 우린 제자가 됩니다
삶을 바꿔야 한다면 나무부터 보러 갈테요

19. 오직 원하는 건

진정한 행복의 순간은
몰입하여 오직
한 가지 일만 하는 것

어디에 있는지
옆에 누가 있는지도
모르게 빠져드는 일

몰입할 수 있는 일을
많이
자주 만드는 것

내가 오직 원하는 건
내가 되는 것

20 서울

서울의 겨울은 얼 것 같은
짜릿함으로 진저리 쳤다

특히 그 새벽의 냉기와
조용함은 없던 정마저 싸그리
긁어간다

피리 부는 사나이가 아이들을
하나 둘 데려가듯 어른들도
모두 데려갔다 아침에는
다시 풀어놓는다

마치 마술에서 깨어나듯
왁자지껄해지는 전철, 식당, 버스
발걸음도 빨라지고 말도 빨라지고
손도 빨라지는 겨울의 서울

다시 생기를 찾는 서울의 밤은
술의 기운으로, 입김으로, 연기로 달궈진다

사람이 식히는 건지, 새벽이 식히는 건지
새벽이 오면 그 열기는 다시 냉랭해진다

그 패턴이 서너 달 지나면
뿌리에서 밀려 올라온 에너지로
싹이 올라오고 봄의 서울이
온기를 가지고 달려든다
서울의 겨울은 서울답게 춥다

21. 아름다운 순간

어느 날 한 마을의 촌장이 사람들에게
가장 아름다운 순간을 말하라고 했다

우리 아이가 태어난 순간이요
아이가 웃을 때요
결혼식 웨딩드레스 입던 날이요
예쁜 곳을 봤을 때요
붉은 석양을 봤을 때요

이번에는 가장 슬픈 순간을 말하라고 했다

아이가 온 집안을 어지럽혀
치울 힘이 없을 때요
아이가 울며 아플 때요
남편이 말을 듣지 않을 때요
꽃이 시들 듯 사랑이 식을 때요

헤어졌는데 붉은 석양마저 슬프게 해요

촌장이 말합니다
아름다운 순간이 없다면
슬픈 순간도 없는 것이라오

22. 반대인 사람

나는 회를 좋아하는데
그는 못 먹는다

나는 추어탕을 좋아하는데
그는 못 먹는다

나는 계획적인데
그는 즉흥적이다

내가 왜 그럴까? 질문할 때
그는 그럴 수 있어 답한다

나는 멀리 떨어져 있을 때 투덜대면
그는 이런 순간도 그리워질 거라 했다

나는 보이는 것을 좋아했고
그는 보이지 않는 것도 중시했다

30년 후
우린 서로에게 물들어 반대가 되었다

23 사명

침묵은
그렇다는 말이기도 하고
그렇지 않다는 말이기도 합니다

눈물은
슬퍼서 나오기도 하고
기뻐서 나오기도 하고
억울해서 나오기도 합니다

이별은 하기 싫은 사람에게는 고통이요
원하는 사람에게는 기쁨입니다

사랑은
우연히 찾아오기도 하고
애타게 찾아야만 오기도 합니다

나는

어쩌다 태어났을까요

사명이 있어서 태어났을까요

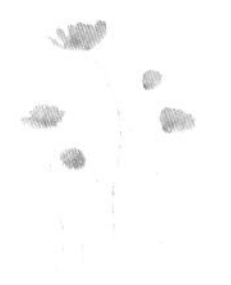

24. 마치 이룬 것처럼

나를 쓸모 있게 만든 건
쓸모없다는 생각을 버리는
일이었다

내가 할 수 있다고 생각한 건
할 수 있을까 하는 의심을 버리는
일이었다

내가 해낼 수 있다고 생각한 건
마치 이룬 것처럼
이미 했다는 생각을 갖는
일이었다

25. 하얀 종이

하얀 종이가 무섭다
여백의 두려움
다 채워야 하는 압박감
막막함
첫 글자야 나오너라
너만 나오면 줄줄이 나오련만

쓰고 싶은 만큼 쓰고
여백으로 둔다

마음의 여유가 있어야
흰 종이도 보이고
검은 글자도 보이는 법

삶도 마찬가지
마음의 여유가 있어야

산책도 하고
멍 때리기도 하고
음악도 듣는다

하얀 종이는 삶
글자는 해야만 하는 일
여백은 여유

우리의 하루는 시로 빛난다
발 행 | 2023년 12월 17일
저 자 | 박은영 김미정 김민들레
펴낸이 | 한건희
펴낸곳 | 주식회사 부크크
출판사등록 | 2014.07.15.(제2014-16호)
주 소 | 서울특별시 금천구 가산디지털1로 119 SK트윈타워 A동 305호
전 화 | 1670-8316
이메일 | info@bookk.co.kr

ISBN | 979-11-410-5842-5

www.bookk.co.kr